D0726283

LE PETIT GUIDE DES

BONS GRAS

Du même auteur:
100 nouvelles recettes végétariennes, © Edimag 2003

C.P. 325, Succursale Rosemont
Montréal (Québec), Canada H1X 3B8

Téléphone: (514) 522-2244
Courrier électronique: info@edimag.com

Éditeur: Pierre Nadeau

Dépôt légal: quatrième trimestre 2004
Bibliothèque nationale du Québec
Bibliothèque nationale du Canada

ISBN: 2-89542-144-7

Québec Canada

L'éditeur bénéficie du soutien de la Société de développement des entreprises culturelles du Québec pour son programme d'édition.

Nous reconnaissons l'aide financière du gouvernement du Canada par l'entremise du Programme d'aide au développement de l'Industrie de l'édition (PADIÉ) pour nos activités d'édition.

Marina SIMONEAU

LE PETIT GUIDE DES BONS GRAS

Tout sur:

LES POISSONS

LES NOIX

LE FAST-FOOD

LES ALIMENTS «LÉGERS»

ET BIEN D'AUTRES ENCORE...

NE JETEZ JAMAIS UN LIVRE

La vie d'un livre commence à partir du moment où un arbre prend racine. Si vous ne désirez plus conserver ce livre, donnez-le. Il pourra ainsi prendre racine chez un autre lecteur.

DISTRIBUTEURS EXCLUSIFS

POUR LE CANADA ET LES ÉTATS-UNIS

LES MESSAGERIES ADP

955, rue Amherst
Montréal (Québec) CANADA H2L 3K4

Téléphone: (514) 523-1182
Télécopieur: (514) 939-0406

POUR LA SUISSE

TRANSAT DIFFUSION

Case postale 3625
1 211 Genève 3 SUISSE

Téléphone: (41-22) 342-77-40
Télécopieur: (41-22) 343-46-46
Courriel: transat-diff@slatkine.com

POUR LA FRANCE ET LA BELGIQUE

DISTRIBUTION DU NOUVEAU MONDE (DNM)

30, rue Gay-Lussac
75005 Paris FRANCE

Téléphone: (1) 43 54 49 02
Télécopieur: (1) 43 54 39 15
Courriel: liquebec@noos.fr

TABLE DES MATIÈRES

INTRODUCTION

Le gras n'a pas bonne presse, et pour cause. Pourtant, on aime tant en manger. Pas directement, bien sûr, mais indirectement. On aime le gras parce qu'il donne de la saveur aux aliments cuits sur le barbecue. Or, quelques gouttes de gras brûlent sur les briquettes rougies et se transforment en substances aromatiques aussi délicieuses que dangereuses, car elles sont cancérigènes!

On aime aussi le gras pour la texture qu'il donne aux aliments. D'ailleurs, les industriels de l'alimentation cherchent constamment à remplacer du gras par des substances qui donneraient un effet semblable afin d'alléger les plats préparés.

Il existe tout de même de bons gras. Ce sont principalement les gras provenant de source végétale, des poissons, des graines et des noix. Toutefois, tout bon gras aura un effet néfaste s'il est consommé en trop grande quantité.

LES BESOINS QUOTIDIENS EN GRAS

En nutrition, on parle des lipides pour désigner les gras. C'est que le mot lipide est un nom générique des esters d'acides gras rencontrés dans les tissus vivants. Ils se caractérisent par leur insolubilité dans l'eau et par leur solubilité dans les solvants organiques (chloroforme, éther, alcool, etc.). Le corps obtient des lipides à partir des aliments, mais il peut aussi les synthétiser, notamment en transformant les glucides (sucres).

Les lipides ne sont pas seulement mauvais ou seulement bons, c'est-à-dire qu'il nous en faut toujours un peu. Notre organisme en a besoin pour fonctionner. Les lipides sont indispensables, car ils permettent à l'organisme de fabriquer entre autres les cellules et concourent au fonctionnement harmonieux du système nerveux. Toutefois, il est très facile de dépasser nos besoins. Il faut savoir que l'âge, le sexe, le degré d'activité physique, l'état de santé général, la constitution, les activités personnelles et professionnelles jouent tous un rôle important dans les besoins quotidiens des gens.

En règle générale, une femme a besoin de 65 g de lipides chaque jour, alors qu'un homme pourra en consommer 90 g. En guise d'unité de comparaison, 15 ml (1 c. à soupe) d'un corps gras pur fournit 14 g de lipides.

PROBLÈMES D'OBÉSITÉ

Lorsqu'on consomme une trop grande quantité de gras et de sucres (ceux-ci se transformant en gras dans l'organisme) par rapport à l'énergie qu'on dépense, le surplus se dépose dans les cellules adipeuses du corps. Comme ces cellules sont concentrées dans le ventre, les hanches et les cuisses, cela explique la popularité des poignées d'amour!

Toutefois, un problème plus grave se présente: l'obésité est en effet en passe de devenir un véritable fléau mondial. Déjà, en Amérique du Nord et en Europe, les jeunes et les adultes ne font pas assez d'activité physique pour être en forme ou même pour brûler les calories qu'ils ingèrent. L'accessibilité aux fast-foods et l'omniprésence de nourriture dénaturée (croustilles, chocolats hypersucrés, bonbons, etc.) ajoutent au problème.

Aux États-Unis, près des deux tiers de la population vit avec une surcharge pondérale. Il suffit d'ailleurs d'aller manger dans un restaurant américain pour se faire servir une assiette capable de nourrir une famille entière! Tout y est excessif: on nous sert des pommes de terre à n'en plus finir, des hamburgers avec 450 g (une livre!) de viande, des boissons gazeuses en baril, des aliments ultra-salés et épicés (de sorte qu'ils ne goûtent presque plus rien), etc. Bref, tout va à la quantité, rien ou si peu à la qualité! On ne se surprendra donc pas de constater l'épidémie de diabète et d'accidents cardiovasculaires.

Le problème ne se limite malheureusement pas aux États-Unis. Au Canada, en France et même en Chine, les gens sont de plus en plus gros. On mange plus, moins bien et on bouge peu. Voilà les ingrédients parfaits pour faire déborder les poignées d'amour! Une fois cette prise de conscience faite, il faut passer à l'action. En vous dévoilant ce qui se cache dans nos aliments, les pages suivantes sauront vous guider vers une meilleure prise en charge de votre santé.

LE SAVIEZ-VOUS?

- Une poutine de format régulier peut compter jusqu'à 3 500 calories, soit environ 1 000 de plus que les besoins d'un homme adulte de constitution moyenne.
- Un verre de lait de vache (250 ml ou 1 tasse) à 1 % de matières grasses contient 2,7 g de matières grasses.
- Le tiers du poids d'un beigne nature glacé au chocolat est composé de lipides, surtout des gras trans.
- Une barre granola au beurre d'arachide enrobée de chocolat pèse 28 g et contient 9 g de lipides.
- Les lipides représentent plus de la moitié du poids d'une croûte à tarte de certaines marques populaires.
- La margarine et le beurre contiennent à peu de chose près la même quantité de gras.
- Les maladies cardiovasculaires sont la principale cause de décès au Canada, où 63 % des gens ont au moins un facteur de risque important.

- Plus de 1,5 million de Canadiens souffrent de diabète et doivent donc contrôler leur consommation quotidienne de calories, de glucides et de lipides.
- Les personnes qui consomment peu ou pas de poissons gras riches en oméga-3 ont tendances à être plus cyniques, méfiantes, coléreuses et agressives que celles qui en mangent.

QU'EST-CE QU'UN MAUVAIS GRAS?

Les mauvais gras sont les gras saturés et trans. Ils sont très instables et se saturent facilement d'hydrogène. Cela entraîne des complications dans l'organisme, où ces gras s'incrustent et bloquent la bonne circulation sanguine. Les gras trans, quant à eux, sont issus de la transformation des aliments. Ainsi, lorsqu'on chauffe une huile pour y cuire des frites, par exemple, il se produit une réaction chimique qui produit des gras trans, même si les pommes de terre et l'huile utilisées n'en contenaient pas au départ.

QU'EST-CE QU'UN BON GRAS?

Les bons gras sont des gras insaturés, qu'on divise en sous-groupes. Il y a les acides gras monoinsaturés et les acides gras polyinsaturés, qui eux-mêmes se divisent en oméga-3 et oméga-6. La différence entre ces corps gras se situe dans la molécule. En peu de mots, nous pourrions dire que plus la chaîne moléculaire de ces corps est faite de liaisons complexes, moins il est facile de les saturer d'hydrogène. Ainsi, les gras polyinsaturés possèdent plusieurs liaisons qui leur confèrent une grande souplesse d'action.

NOTE SUR LES TABLEAUX

Dans le présent guide, vous constaterez que de nombreux tableaux illustrent la teneur en lipides et en plusieurs éléments nutritifs pour divers aliments. Vous y verrez des abréviations, dont voici la signification:

g	gramme
mg	milligramme
ml	millilitre
UI	unités internationales
tr	trace
N/D	donnée non disponible

Chapitre 1

LES TYPES DE GRAS

Les lipides sont stockés dans le sang sous forme de triglycérides. Tout au long du système circulatoire, ils effectuent le travail pour lequel ils sont conçus. Ils apportent donc de l'énergie (9 calories par gramme), travaillent à développer les ressources du cerveau et les capacités visuelles, protègent les nerfs et les organes. Sans les lipides, l'absorption des vitamines A, D, E, K et la synthèse du bêta-carotène seraient très difficiles, alors que la moelle osseuse souffrirait de l'absence d'un de ses principaux éléments.

À partir de ces caractéristiques, on peut affirmer que les gras sont essentiels à notre santé. Toutefois, lorsqu'ils sont consommés en trop grande quantité par rapport à la dépense énergétique, ils s'accumulent dans les tissus et ankylosent l'organisme, car ils attendent le moment où celui-ci aura besoin d'eux.

Des gras sont cependant meilleurs que les autres, selon leur capacité à ne pas prendre une place indue dans l'organisme. En fait, les gras de bonne qualité consommés raisonnablement sont essentiels au maintien de la santé et au développement harmonieux de l'organisme. Mais entre les gras trans, les gras saturés et les gras insaturés, on finit par se mêler de corps gras.... Qu'est-ce que tout cela veut dire? Voici une courte présentation de chacun, avec leurs bonnes et moins bonnes caractéristiques.

LES GRAS TRANS

Les gras trans ont fait l'objet de plusieurs recherches scientifiques. À l'évidence, ils représentent un réel danger pour la santé. Comme nos cellules n'y sont pas adaptées, notre organisme ne peut s'en débarrasser. Ces gras, en s'incrustant dans le corps, peuvent entraîner l'obstruction des vaisseaux sanguins, font hausser le taux de triglycérides sanguins et augmentent les risques de maladies cardiovasculaires. Les gras trans sont issus de procédés qui changent la configuration chimique des gras liquides afin de les transformer en gras solides. On les trouve surtout dans les produits commerciaux contenant des gras hydrogénés et du shortening, comme les pâtisseries, les muffins des restaurants, les margarines, les croustilles, les gâteaux, les biscuits, les craquelins, la crème glacée, les tablettes de chocolat, etc. Les restaurants qui font dans le fast-food proposent quant à eux des aliments souvent très gras et, en plus, dépourvus de valeur nutritive, ce qui ajoute aux malheurs de la personne qui en consomme. Évidemment, ces procédés chimiques de transformation influencent à la baisse la qualité de la matière première.

LES GRAS SATURÉS

Les gras saturés se trouvent surtout dans la viande, les produits laitiers, les œufs, les huiles de palme et de coprah (coco). Tout au plus, ils ne doivent pas dépasser

30 % de toute notre consommation de matières grasses quotidienne. Les raisons sont multiples: consommés en excès, ils sont néfastes pour la santé du cœur, provoquent l'accumulation de gras dans les artères et augmentent les risques de maladies cardiovasculaires. Manger des aliments remplis de ces gras entraîne également la somnolence mais, par contre, cela nuit au sommeil et empêche une bonne récupération.

Les gras saturés se trouvent dans plusieurs produits animaux (viande, volaille, œufs, beurre, produits laitiers) et divers produits commerciaux (pâtisseries, croissants, biscuits, craquelins). Ils sont surtout produits par la transformation des aliments, mais ils sont quand même présents naturellement dans certains aliments.

LE CHOLESTÉROL

L'organisme synthétise les acides biliaires, la vitamine D, les hormones sexuelles et cortico-surrénaliennes à partir du cholestérol. C'est donc dire que ce dernier a une grande importance dans le corps humain.

Toutefois, il faut distinguer le bon du mauvais cholestérol, car trop de mauvais cholestérol dans l'organisme aura des conséquences néfastes.

Parlons d'abord du bon cholestérol. On le nomme ainsi parce qu'il se lie dans le sang à des lipoprotéines de haute densité, les lipoprotéines étant le véhicule transportant le cholestérol. On le nomme le cholestérol HDL, en raison de l'appellation anglaise *High Density Lipoprotein.* Il y a aussi le cholestérol LDL *(Low Density Lipoprotein)*, lié à des lipoprotéines de basse densité. Ces lipoprotéines transportent 65 % du cholestérol sanguin. Ce sont les mauvaises lipoprotéines, car elles déposent le cholestérol dans les artères où, combiné à d'autres substances, celui-ci se transforme en plaques bloquant les vaisseaux sanguins.

Le taux sanguin de cholestérol HDL diminue dans de nombreuses circonstances, et cette baisse se traduit par une apparition de maladies athéromateuses. Celles-ci se caractérisent par une altération de la paroi interne du vaisseau où se forme une plaque jaunâtre de dépôts lipidiques (graisses), puis par la libération de cristaux lipoïdiques et de cholestérine, enfin par une sclérose de la zone touchée. Le tabagisme, l'usage de contraceptifs oraux et le diabète sont des sources provoquant l'apparition de ces maladies liées à un bas taux de bon cholestérol sanguin.

LES GRAS INSATURÉS

Si les acides gras saturés contribuent à la hausse du taux de cholestérol LDL, les acides gras insaturés, eux, appuient le cholestérol HDL. Ils permettent au corps d'évacuer les résidus de gras avant qu'ils ne se déposent dans les artères. Lorsqu'ils remplacent les gras saturés, les gras insaturés entraînent donc une diminution des concentrations sanguines de mauvais cholestérol.

Ces gras se divisent en deux catégories: les gras monoinsaturés et les gras polyinsaturés. Les gras monoinsaturés sont présents en grande quantité dans l'huile d'olive et l'huile de colza (canola), de même que dans les avocats, les graines de sésame et les noix. Leurs effets bénéfiques sur le système circulatoire sont reconnus. Les gras polyinsaturés, quant à eux, se trouvent surtout dans les huiles végétales (tournesol, carthame, soja et maïs) ainsi que dans les poissons gras (notamment le saumon), plusieurs noix, les graines de lin, le soja, le tournesol. Il en existe de deux types: les oméga-3 et les oméga-6. Ils jouent un rôle majeur dans la bonne circulation sanguine, en plus d'aider l'organisme dans les processus de cicatrisation et de prévention de l'inflammation des tissus.

Il faut noter que les oméga-3 ne peuvent être synthétisés par l'humain. Il est donc essentiel d'en consommer par le biais de nos aliments afin d'en retirer tous les bienfaits.

Chapitre 2

TRUCS ET SOLUTIONS

Il existe une multitude de solutions pour éviter les mauvais gras et purifier l'organisme. La plus simple et la plus efficace demeure de savoir lire les étiquettes sur les emballages de produits alimentaires qu'on trouve à l'épicerie, car ce sont principalement les aliments transformés qui posent problème. En effet, un légume sous sa forme originale ne contient jamais de gras trans!

Voici quelques façons de se sortir du piège des aliments gras et de trouver dans les aliments tout le nécessaire afin de vivre en santé.

SAVOIR LIRE LES ÉTIQUETTES

Auparavant, l'étiquetage nutritionnel était facultatif et l'information n'était pas toujours présentée de façon uniforme. Le règlement imposé aux fabricants de produits alimentaires par Santé Canada depuis janvier 2003 procure désormais aux consommateurs une information plus complète sur la valeur nutritive des aliments. Ce règlement exige l'impression sur l'emballage d'un tableau montrant la teneur calorique et le contenu de 13 éléments nutritifs: les lipides, les graisses saturées et trans, le cholestérol, le sodium, les glucides, les fibres, les sucres, les protéines, les vitamines A et C, le calcium et le fer.

Observez bien deux choses: l'importance de la portion suggérée et le pourcentage de l'apport quotidien recommandé en fonction de cette portion. Par exemple, vous auriez peut-être l'impression que les croustilles ne sont pas si calorifiques, mais vous changerez d'idée lorsque vous verrez qu'une portion de chips se limite à environ 28 g, soit une dizaine de croustilles!

Les aliments transformés sont principalement visés par ce règlement, alors que les fruits et légumes frais, la viande et la volaille crues, non hachées, à ingrédient unique, sont quant à eux des denrées qui ne sont pas étiquetées. Il se peut par ailleurs que certains fabricants ne se soient pas encore pliés à cette exigence, mais après 2008 ils ne pourront plus garder le silence sur le contenu de leurs produits.

LE JEÛNE

Vous n'y avez peut-être pas pensé, mais voilà une solution qui a fait ses preuves depuis des siècles. En effet, chaque société a culturellement un rapport plus ou moins fort envers le jeûne. Chez les catholiques, c'est le carême qui y est associé. La religion associe certaines croyances à ce genre de période où l'on fait pénitence, mais il y a moyen d'y voir un repos et une purification de l'organisme.

L'exemple courant est de s'abstenir de consommer une denrée alimentaire pendant un certain temps. Par exemple, vous pourriez cesser de boire de la bière pendant un mois entier. Vous seriez surpris des résultats! Les gens qui souffrent de brûlements d'estomac pourraient pour leur part cesser de boire du café ou limiter leur consommation d'aliments sucrés. L'absence de caféine dans l'organisme permet par ailleurs à celui-ci de mieux se relaxer.

Évidemment, on n'entreprend pas un jeûne si on a une santé fragile.

RECONNAÎTRE LES PRODUITS DE SUBSTITUTION

Pour remplacer les mauvais gras, les industriels cherchent à utiliser des produits qui permettront de conserver la saveur et la texture des aliments. Il arrive d'ailleurs souvent que les produits dits «sans gras» contiennent plus de sucres que les produits réguliers, ceci afin qu'ils soient aussi savoureux selon l'avis des clients.

Sur l'étiquette d'un produit, observez donc la quantité de gras et de sucres inscrite. Pour que ces produits soient plus faciles à digérer, ils doivent contenir une bonne quantité de fibres alimentaires. Un truc, consommez 30 g de fibres alimentaires chaque jour. Vous obtiendrez cet apport en mangeant une portion de légumes verts cuits, deux crudités et deux petits fruits frais avec leur pelure. Ajoutez à votre menu des céréales entières (riz, blé, avoine...) et des légumineuses (lentilles, pois cassés, haricots de Lima...), et vous serez sûr de ne jamais manquer de fibres pour digérer convenablement vos sucres et vos gras si, bien entendu, vous ne faites pas d'excès de ce côté!

MANGER FRAIS

Ceci n'a rien d'un slogan publicitaire! Manger frais, ça veut dire prendre le temps de cuisiner soi-même ses petits plats. On évite ainsi les surplus de sel et les excès de gras des aliments préparés, tout en consommant des produits pleins de vitalité.

Si vous en avez la possibilité, faites-vous un petit jardin. Il n'y a pas de meilleur moyen pour avoir à sa disposition des aliments d'une fraîcheur inégalable. En été et en automne, les marchés publics sont une source idéale de produits frais et vitaminés. N'hésitez pas, par exemple, à profiter de la courte saison des fraises pour en congeler. Les fraises produites aux États-Unis ne sont souvent qu'une pâle copie du fruit d'origine.

Sachez que plus un aliment est frais, plus il contient de vitamines et de minéraux. Essayez les aliments biologiques aussi. Comme ils n'ont pas été aspergés de pesticides et qu'ils ont poussé dans une terre riche, ils sont eux aussi mieux adaptés pour vous donner une santé de fer!

Enfin, en consommant plus de fruits et légumes frais, votre estomac aura moins de place pour recevoir des chips, des boissons sucrées et tous ces autres aliments néfastes à la santé.

MANGER DU POISSON

C'est prouvé depuis longtemps: les poissons, surtout les poissons gras tels que le saumon, le thon, le hareng et le maquereau, sont riches en acides gras essentiels. Toutefois, si vous décidez d'augmenter votre consommation de poisson, pensez à utiliser un mode de cuisson qui saura en conserver les qualités nutritives.

Selon une étude faite à l'Université de Seattle, les poissons cuits et grillés gardent sensiblement les mêmes caractéristiques. Toutefois, la friture n'apporte plus les bénéfices recherchés. La consommation de poissons frits ne diminuerait pas le risque d'accident cardiovasculaire, au contraire.

CONSULTER LES BONS MARCHANDS

Avez-vous déjà remarqué combien votre boucher du coin est plus attentionné que celui du supermarché? Si vous n'aimez pas retirer le gras de vos viandes, demandez-le à votre boucher ou laissez-lui le plaisir de vous proposer une viande maigre savoureuse.

D'ailleurs, s'il est pratique de visiter un supermarché parce qu'on y trouve de tout, vous savez très bien qu'on vous y propose une multitude de produits qui ne sont pas bons pour vous. Vous attendez à la caisse: entre les magazines, vous avez le choix d'une boisson gazeuse, d'une tablette de chocolat, d'arachides et d'autres petits régals gras, salés et sucrés. Cette sollicitation, très colorée, vise souvent les jeunes enfants qui, exaspérés d'attendre, réussissent à soutirer les faveurs d'un parent en mal de patience...

Cela a heureusement moins de chance de se produire dans un marché public. Le marchand de légumes a bien quelques friandises à vous offrir (noix enrobées de chocolat ou de yogourt, amandes, fruits séchés...), mais elles sont souvent meilleures que celles des supermarchés. D'ailleurs, y a-t-il quelque chose à comprendre du fait qu'on ait droit à une rangée complète de chips à l'épicerie? Souvent, on y consacre plus d'espace aux calories vides qu'aux aliments sains comme les fruits et légumes!

Si vous avez des enfants et que vous êtes exaspérés de les entendre vous demander toutes sortes de gâteries, il serait peut-être temps de choisir un autre endroit pour faire vos emplettes.

NOTE SUR LES FARINES, PAINS ET PÂTES

Ce guide ne présente pas de tableaux sur les farines, les pains, les pâtes, le riz, les céréales et leurs dérivés. La raison est simple: ce sont des aliments contenant des glucides mais très peu de lipides. Si vous vous demandez quel pain, quelle farine ou quelle pâte acheter, choisissez des produits entiers, car leurs glucides sont complexes et contiennent tout ce qu'il faut pour aider l'organisme à accomplir sa mission. Pour ce qui est des lipides, prenez plutôt garde à ce que vous mettez sur votre pain ou vos pâtes... Et évitez autant que possible les céréales à déjeuner trop sucrées.

Chapitre 3

LES FRUITS ET LÉGUMES

Pour la plupart, les fruits et légumes ne contiennent pas de gras, donc pas de bons gras non plus! Pourtant, ce n'est pas toujours vrai. Par exemple, il y a les olives, le fruit de l'olivier, et les avocats, le fruit de l'avocatier. Du côté des légumes, les laitues plus coriaces comme la mâche contiennent également des bons gras. Voici des informations faciles à consulter au sujet des principaux apports nutritifs de certains fruits et légumes.

LES AVOCATS

L'avocat est un fruit oléagineux, ce qui veut dire qu'il contient de l'huile. Il est très nutritif, en plus des matières grasses qu'il contient en très grande quantité, il est riche en vitamine A, en vitamines du complexe B, en vitamines C, E, en acide folique et en potassium. La qualité de sa matière grasse n'est plus à démontrer. Elle est en grande partie constituée de gras monoinsaturés, et un demi-avocat de grosseur moyenne apportera environ la moitié de la quantité des matières grasses recommandées quotidiennement. Notez aussi que l'avocat ne contient pas de cholestérol.

Aliment	Poids (g)	Calories	Protéines (g)	Glucides (g)	Fibres (g)	Lipides (g)	Cholestérol (mg)	Calcium (mg)	Fer (mg)	Sodium (mg)	Vitamine A (UI)	Vitamine C (mg)
1 avocat de la Californie	175	310	4	12	N/D	30	0	19	2	21	1 071	14
1/2 avocat de la Floride	150	168	2	14	N/D	13	0	17	0,8	8	918	12

LES FIGUES

On ne peut pas dire des figues qu'il s'agit d'un fruit gras. Toutefois, voici l'un des rares fruits contenant des lipides autrement qu'au simple stade des traces. Et ce fruit renferme tant d'autres qualités qu'il est bon d'en faire une catégorie particulière.

Aliment	Poids (g)	Calories	Protéines (g)	Glucides (g)	Fibres (g)	Lipides (g)	Cholestérol (mg)	Calcium (mg)	Fer (mg)	Sodium (mg)	Vitamine A (UI)	Vitamine C (mg)
1 biscuit aux figues	16	56	1	11	0,7	1	0	10	0,5	56	7	tr
1 figue crue moyenne	50	37	tr	10	1,6	tr	0	18	0,2	0	71	1
5 figues séchées, crues	100	255	3	65	9,3	1	0	144	2,2	11	133	0,5

Pour la signification des abréviations dans les tableaux, veuillez vous référer à la page 17.

LES LAITUES

Curieusement, plusieurs types de laitues renferment des bons gras. C'est vrai que leur teneur en matières grasses n'est pas très élevée et qu'il faudrait manger une grande quantité de salade pour s'en rendre compte. On peut tout de même souligner que les feuilles bien foncées ont souvent une plus grande valeur nutritive que les pâles, comme celles de la laitue iceberg.

En particulier, il faut mentionner la mâche, un type de laitue à feuilles assez petites et d'un beau vert foncé. Plus coriace et relativement amère, la mâche renferme une petite quantité d'acides gras essentiels, qui devient impressionnante lorsqu'on la compare aux autres légumes.

Voici une courte liste de feuilles contenant des matières grasses, excellentes pour la santé:

Aliment	Quantité (g) de matières grasses par 100 g
Épinards	0,3
Oseille	0,8
Ortie	0,7
Pissenlit	0,4
Pourpier	0,1
Mâche	0,4
Roquette	0,1
Cresson	0,1
Radicchio	0,2
Chicorée	0,3
Scarole	0,2
Endive	0,1
Laitue frisée	0,2
Laitue Boston, iceberg et romaine	0,1
Chou (tous sauf frisé) cru	0,2
Chou frisé cru	0,7

LES OLIVES

Les olives noires sont plus nutritives que les autres. Par contre, toutes les olives, vertes, rougeâtres ou noires, sont riches en matières grasses de type monoinsaturé: 20 olives apportent environ la moitié des matières grasses recommandées par jour. Il faut donc en consommer avec parcimonie, mais n'hésitons pas à nous en servir dans les salades et les plats mijotés.

L'huile d'olive est aussi un produit de qualité dont on peut se servir dans presque toutes les circonstances. Riche en acides gras moninsaturés, elle est d'une belle couleur jaune verdâtre et son goût sera plus prononcé si sa couleur est plus foncée. Il faut cependant noter que l'huile d'olive dite légère n'est pas moins calorifique ni moins riche en gras qu'un produit régulier. Dans ce cas en effet, le mot «léger» désigne la saveur peu prononcée du produit. Utilisez une huile légère si vous n'aimez pas le goût des olives, par exemple, mais pas pour perdre du poids!

Aliment	Poids (g)	Calories	Protéines (g)	Glucides (g)	Fibres (g)	Lipides (g)	Cholestérol (mg)	Calcium (mg)	Fer (mg)	Sodium (mg)	Vitamine A (UI)	Vitamine C (mg)
15 ml d'huile d'olive	14	121	0	0	0	14	0	tr	0,1	tr	0	0
8 olives en conserve	30	33	tr	2	0,8	3	0	25	1,0	255	118	tr

LES POMMES DE TERRE

Si les pommes de terre cuites au four ne contiennent pas vraiment de lipides (à peine quelques traces), leurs produits dérivés sont souvent à éviter en raison des nombreuses transformations qu'ils ont subies. Dans le tableau suivant, nous avons omis les pommes de terres frites, que vous retrouverez dans le chapitre sur le fast-food. Toutefois, nous avons inclus les pommes de terre rissolées, très populaires au petit-déjeuner.

Aliment	Poids (g)	Calories	Protéines (g)	Glucides (g)	Fibres (g)	Lipides (g)	Cholestérol (mg)	Calcium (mg)	Fer (mg)	Sodium (mg)	Vitamine A (UI)	Vitamine C (mg)
1 pomme de terre au four avec pelure	200	218	5	50	4,6	tr	0	20	2,7	16	0	26
1 pomme de terre au four, pelée avant cuisson	200	186	4	44	4,4	tr	0	10	0,6	10	0	26
1 pomme de terre bouillie, pelée avant cuisson	200	172	3	40	2,8	tr	0	16	0,6	10	0	15
1 pomme de terre avec pelure, bouillie	200	172	4	40	3,3	tr	0	17	1,7	9	0	24
1 pomme de terre cuite au micro-ondes, avec pelure	200	210	5	49	5	tr	0	22	2,5	16	0	31
6 à 8 pommes de terre en conserve	200	120	2	27	1,7	tr	0	10	2,5	520	0	10

Aliment	Poids (g)	Calories	Protéines (g)	Glucides (g)	Fibres (g)	Lipides (g)	Cholestérol (mg)	Calcium (mg)	Fer (mg)	Sodium (mg)	Vitamine A (UI)	Vitamine C (mg)
125 ml de pommes de terre en purée, au lait 2 % et beurre	100	112	2	17	N/D	5	12	27	0,3	440	182	6
125 ml de pommes de terre rissolées congelées, nature	100	220	4	28	2,2	11	N/D	15	1,5	34	0	6
125 ml de pommes de terre rissolées maison	100	209	2	22	3,4	14	0	9	0,8	24	0	6
125 ml de salade de pommes de terre	125	179	4	14	2	10	85	24	0,9	662	261	12

AUTRES LÉGUMES

Tous les légumes contiennent des lipides, mais ceux-ci sont présents en quantité négligeable. Ce qu'il faut retenir, c'est que les légumes renferment toujours des éléments nutritifs de première importance. Sauf quelques exceptions (maïs, avocats, pommes de terre...), on peut en manger à volonté!

Aliment	Poids (g)	Calories	Protéines (g)	Glucides (g)	Fibres (g)	Lipides (g)	Cholestérol (mg)	Calcium (mg)	Fer (mg)	Sodium (mg)	Vitamine A (UI)	Vitamine C (mg)
125 ml d'algues dulse (goémon), séchées	8	17	3	2	0,1	tr	0	35	0,9	24	2 570	19
1 artichaut bouilli	125	62	4	14	4,8	tr	0	56	1,6	119	221	12
6 pointes d'asperges bouillies	90	22	2	4	1,3	tr	0	18	0,6	10	485	10
5 pointes d'asperge en conserve	90	17	2	2	1,3	1	0	14	1,6	351	478	17
250 ml d'aubergine	100	28	1	7	2,5	tr	0	6	0,4	3	65	1

Aliment	Poids (g)	Calories	Protéines (g)	Glucides (g)	Fibres (g)	Lipides (g)	Cholestérol (mg)	Calcium (mg)	Fer (mg)	Sodium (mg)	Vitamine A (UI)	Vitamine C (mg)
250 ml de bette à carde hachée, bouillie	100	20	2	4	2,1	tr	0	59	2,3	179	3 154	18
125 ml de betteraves marinées, en conserve	120	78	1	20	2,2	tr	0	13	0,5	317	13	3
125 ml de betteraves bouillies	100	44	2	10	2,0	tr	0	15	0,8	77	34	3
125 ml de betteraves, tranchées, en conserve	100	31	1	7	2,1	tr	0	14	1,8	273	11	7
3 bouquets de brocoli cru	100	28	3	5	2,4	tr	0	48	0,9	27	1 542	94
3 bouquets de brocoli bouilli	100	28	3	5	2,4	tr	0	46	0,8	26	1 388	75
1 ou 2 carottes crues	100	44	1	10	2,4	tr	0	28	0,5	35	28 305	9
10 carottes naines crues	100	38	1	8	N/D	1	0	23	0,8	35	1 972	8

Aliment	Poids (g)	Calories	Protéines (g)	Glucides (g)	Fibres (g)	Lipides (g)	Cholestérol (mg)	Calcium (mg)	Fer (mg)	Sodium (mg)	Vitamine A (UI)	Vitamine C (mg)
125 ml de carottes bouillies	100	45	1	11	2,7	tr	0	32	0,6	66	24 680	2
2 à 4 tiges de céleri cru	100	15	tr	3	1,5	tr	0	40	0,5	88	135	8
6 champi-gnons crus	100	25	2	5	1,3	tr	0	5	1,2	4	0	4
250 ml de chou-fleur cru	100	25	2	5	1,8	tr	0	22	0,5	30	19	46
200 ml de chou cava-lier bouilli	100	26	1	6	1,0	tr	0	24	0,1	16	2 712	12
125 ml de chou chi-nois haché, bouilli	100	12	1	2	1,6	tr	0	93	1,0	34	2 562	26
200 ml de chou vert frisé, bouilli	100	32	1	6	2,0	tr	0	71	0,9	23	7 365	41
125 ml de choucroute en conserve	125	24	1	5	3,1	tr	0	37	1,8	824	22	18
5 choux de Bruxelles, bouillis	100	39	2	8	3	tr	0	36	1	21	719	62

Aliment	Poids (g)	Calories	Protéines (g)	Glucides (g)	Fibres (g)	Lipides (g)	Cholestérol (mg)	Calcium (mg)	Fer (mg)	Sodium (mg)	Vitamine A (UI)	Vitamine C (mg)
350 ml de chou cru	100	24	1	5	1,8	tr	0	47	0,5	18	132	32
100 ml de citrouille en conserve	100	34	1	8	1,8	tr	0	26	1,4	5	22 2130	4
3 cœurs de palmiers en conserve	100	28	2	5	2,4	1	0	57	3,1	426	0	8
250 ml de concombre pelé	100	16	1	3	0,9	tr	0	17	0,3	2	262	7
2 cornichons à l'aneth	100	18	tr	5	1,1	tr	0	9	0,5	1 280	329	1
100 ml de courge d'été bouillie	100	20	1	4	2	tr	0	27	0,4	1	287	6
125 ml de courge d'hiver cuite	100	39	1	8	1,8	1	0	14	0,4	1	3 565	9
200 ml de courgette crue	100	14	1	3	1,7	tr	0	14	0,4	3	339	9
250 ml de crosses de fougères congelées	100	20	2	3	1,8	tr	0	5	0,8	1	N/D	15

Aliment	Poids (g)	Calories	Protéines (g)	Glucides (g)	Fibres (g)	Lipides (g)	Cholestérol (mg)	Calcium (mg)	Fer (mg)	Sodium (mg)	Vitamine A (UI)	Vitamine C (mg)
2 endives crues	100	17	tr	4	N/D	tr	0	19	0,2	2	27	2
125 ml d'épinards bouillis	100	23	3	4	2,7	tr	0	136	3,6	71	8 200	9
500 ml d'épinards crus	100	22	3	3	2,5	tr	0	100	2,7	80	6 735	29
200 ml de haricots mungo germés, sautés	100	50	5	11	N/D	tr	0	13	1,9	9	31	16
125 ml de haricots (verts, jaunes, italiens), bouillis	66	23	1	5	1,6	tr	0	30	0,8	2	440	6
175 ml de haricots (verts, jaunes, italiens) en conserve	100	19	1	4	2,1	tr	0	26	0,8	250	350	3
250 ml de luzerne germée crue	35	10	2	2	1,0	tr	0	12	0,4	2	54	2
100 ml de maïs sucré en crème	100	72	2	19	1,4	1	0	3	0,4	292	100	5

Aliment	Poids (g)	Calories	Protéines (g)	Glucides (g)	Fibres (g)	Lipides (g)	Cholestérol (mg)	Calcium (mg)	Fer (mg)	Sodium (mg)	Vitamine A (UI)	Vitamine C (mg)
1 petit épi de maïs sucré bouilli	100	108	3	25	3,7	2	0	2	0,6	17	217	7
125 ml de maïs sucré en grains, en conserve	100	79	3	20	2,0	1	0	5	0,5	272	241	5
135 ml de navet bouilli	100	18	1	5	2,0	tr	0	22	0,2	50	0	12
250 ml d'oignon vert cru	100	33	2	8	2,5	tr	0	72	1,5	15	383	12
125 ml d'oignon cru	100	38	1	9	1,7	tr	0	21	0,2	4	0	6
135 ml de panais bouilli	100	82	1	20	3,3	tr	0	37	0,6	10	0	13
75 ml de patate douce pelée, en purée	100	105	2	23	2,4	tr	0	21	0,6	13	17050	17
175 ml de piment fort (chili, rouge et vert), en conserve	100	26	tr	6	N/D	tr	0	6	0,6	1190	615	68

Aliment	Poids (g)	Calories	Protéines (g)	Glucides (g)	Fibres (g)	Lipides (g)	Cholestérol (mg)	Calcium (mg)	Fer (mg)	Sodium (mg)	Vitamine A (UI)	Vitamine C (mg)
250 ml de poireaux bouillis	100	31	tr	7	2,4	tr	0	29	1,1	9	45	4
150 ml de pois mange-tout crus	100	42	3	8	1,8	tr	0	43	2,1	4	144	60
125 ml de pois verts en conserve	100	69	4	12	4	tr	0	20	1,0	219	765	10
1/2 poivron jaune cru	100	27	1	6	1,4	tr	0	11	0,5	2	238	183
1/2 poivron rouge cru	100	27	1	7	1,4	tr	0	9	0,5	2	5 700	190
1/2 poivron vert cru	100	27	1	7	1,4	tr	0	9	0,5	2	632	89
500 ml de radicchio haché	100	24	2	4	N/D	tr	0	19	0,5	21	26	7
20 radis	100	18	tr	4	2	tr	0	20	0,2	26	10	24
1 tomate crue	100	21	1	5	1,2	tr	0	5	0,5	9	623	19
100 ml de tomates en conserve, entières	100	20	1	4	0,8	tr	0	26	0,6	163	603	9

Aliment	Poids (g)	Calories	Protéines (g)	Glucides (g)	Fibres (g)	Lipides (g)	Cholestérol (mg)	Calcium (mg)	Fer (mg)	Sodium (mg)	Vitamine A (UI)	Vitamine C (mg)
125 ml de tomates séchées au soleil	25	64	4	14	N/D	1	0	27	2,2	515	215	9
100 ml de sauce tomate à spaghetti, en conserve	100	108	2	16	1,4	5	0	28	0,7	495	1 223	11
100 ml de sauce tomate en conserve	100	30	2	7	1,4	tr	0	14	1	606	980	6

AUTRES FRUITS

L'apport en fibres et en vitamines des fruits est nettement plus important que leur contenu en lipides. Toutefois, comme certains fruits renferment quelques traces de matières grasses (habituellement bonnes pour la santé), nous avons cru bon d'ajouter ce tableau.

Aliment	Poids (g)	Calories	Protéines (g)	Glucides (g)	Fibres (g)	Lipides (g)	Cholestérol (mg)	Calcium (mg)	Fer (mg)	Sodium (mg)	Vitamine A (UI)	Vitamine C (mg)
3 abricots crus	100	48	1	11	2	tr	0	14	0,4	1	2 612	10
60 ml d'abricots séchés, non cuits	33	78	1	20	2,6	tr	0	15	1,5	3	2 384	1
1 ananas cru	90	44	tr	11	1,1	tr	0	6	0,3	1	21	14
125 ml d'ananas en conserve, dans l'eau	130	42	1	11	1,2	tr	0	19	0,5	1	19	10
1 banane crue	115	105	1	27	1,9	1	0	7	0,4	1	93	10
125 ml de bleuets crus	77	43	1	11	2	tr	0	5	0,1	5	77	10

Aliment	Poids (g)	Calories	Protéines (g)	Glucides (g)	Fibres (g)	Lipides (g)	Cholestérol (mg)	Calcium (mg)	Fer (mg)	Sodium (mg)	Vitamine A (UI)	Vitamine C (mg)
125 ml de bleuets congelés	82	42	tr	10	2,6	1	0	7	0,1	1	66	2
125 ml de canneberges crues	50	25	tr	6	2,1	tr	0	4	0,1	1	23	7
1/2 canta-loup cru	267	93	2	22	1,9	1	0	29	0,6	24	8 608	113
10 cerises crues	68	49	1	11	0,7	1	0	10	0,3	0	146	5
1 citron cru	58	17	1	5	1,2	tr	0	15	0,3	1	17	31
10 dattes séchées	83	228	2	61	7,1	tr	0	27	1	2	42	0
5 fraises crues	60	18	tr	4	1,3	tr	0	8	0,2	1	16	34
125 ml de fraises congelées	117	41	1	11	1,9	tr	0	19	0,9	2	53	48
125 ml de framboises crues	65	32	1	8	3,2	tr	0	14	0,4	0	84	16
125 ml de framboises congelées, sucrées	132	136	1	35	5,8	tr	0	20	0,9	1	79	22

Aliment	Poids (g)	Calories	Protéines (g)	Glucides (g)	Fibres (g)	Lipides (g)	Cholestérol (mg)	Calcium (mg)	Fer (mg)	Sodium (mg)	Vitamine A (UI)	Vitamine C (mg)
1 kiwi cru	76	46	1	11	2,6	tr	0	20	0,3	4	133	57
1 lime crue	67	20	tr	7	1,4	tr	0	22	0,4	1	7	19
1 mangue crue	207	135	1	35	4,1	1	0	21	0,3	4	8 061	57
1/2 tranche de melon d'eau	230	74	1	16	0,9	1	0	18	0,4	5	841	22
1/10 de melon miel	129	45	1	12	1	tr	0	8	0,1	13	52	32
125 ml de mûres crues	76	40	1	10	3,8	tr	0	24	0,4	0	126	16
125 ml de mûres congelées	80	51	1	13	4	tr	0	23	0,6	1	91	2
1 nectarine crue	136	67	1	16	2,2	1	0	7	0,2	0	1 001	7
1 orange	131	62	1	15	2,4	tr	0	52	0,1	0	269	70
1/2 pamplemousse blanc	118	39	1	10	2,1	tr	0	14	0,1	0	12	39
1/2 pamplemousse rose ou rouge	123	37	1	9	1,2	tr	0	14	0,1	0	319	47
1 petite papaye crue	311	121	2	31	5,3	tr	0	75	0,3	9	6 267	192

Aliment	Poids (g)	Calories	Protéines (g)	Glucides (g)	Fibres (g)	Lipides (g)	Cholestérol (mg)	Calcium (mg)	Fer (mg)	Sodium (mg)	Vitamine A (UI)	Vitamine C (mg)
1 pêche crue	87	37	1	10	1,7	tr	0	4	0,1	0	465	6
125 ml de pêches congelées, sucrées	132	124	1	32	1,8	tr	0	4	0,5	8	375	124
125 ml de pêches en conserve, dans du jus	131	58	1	15	1,3	tr	0	8	0,4	5	499	5
1 poire crue, avec pelure	169	100	1	26	5,1	1	0	19	0,4	0	34	7
125 ml de poires en conserve, dans du jus	131	66	tr	17	2,6	tr	0	12	0,4	5	8	2
1 pomme crue, avec pelure	138	82	tr	21	2,6	tr	0	10	0,2	0	73	8
1 prune crue	66	36	1	9	1,1	tr	0	3	0,1	0	213	6
10 pruneaux séchés, non cuits	84	201	2	53	6,1	tr	0	43	2,1	3	1 669	3
10 raisins crus	50	36	tr	9	0,6	tr	0	6	0,1	1	36	5
125 ml de raisins secs	77	230	2	61	2,8	tr	0	38	1,6	9	6	3

Aliment	Poids (g)	Calories	Protéines (g)	Glucides (g)	Fibres (g)	Lipides (g)	Cholestérol (mg)	Calcium (mg)	Fer (mg)	Sodium (mg)	Vitamine A (UI)	Vitamine C (mg)
125 ml de rhubarbe crue	65	14	1	3	N/D	tr	0	55	0,1	3	64	5
125 ml de rhubarbe congelée, cuite avec sucre	127	147	tr	40	2,5	tr	0	184	0,3	1	87	4
1 tangerine ou mandarine crue	84	37	1	9	0,8	tr	0	12	0,1	1	773	26
250 ml de jus d'orange fraîchement pressé	262	118	2	27	0,3	1	0	29	0,5	3	524	131
250 ml de jus d'orange réfrigéré	263	116	2	26	N/D	1	0	26	0,4	3	205	87
250 ml de jus de citron	258	54	1	17	0,8	1	0	28	0,3	54	39	64
250 ml de punch aux fruits, congelé et dilué	262	131	tr	32	N/D	1	0	18	0,6	13	16	15

Chapitre 4

LES NOIX ET LES GRAINES

Les noix et les graines constituent des aliments de choix quand on veut aller chercher les acides gras dont on a besoin. Il faut toutefois éviter de consommer des noix et des graines qui ont été rôties dans l'huile, de même que celles qui ont été salées. Dans ces cas, les bienfaits seraient grandement atténués par une transformation profonde des valeurs nutritives de ces aliments.

LES NOIX

Les noix sont riches en gras monoinsaturés et polyinsaturés, en plus d'être les meilleures sources existantes d'acides gras essentiels. On recommande donc d'en manger tous les jours. Rappelons que les noix sont très riches en matières grasses et en calories. Bien que d'excellentes qualités nutritives leur soient rattachées, il faut les consommer avec parcimonie, surtout si elles ont été rôties dans l'huile.

Voici les quantités recommandées:

- noix: de 45 à 60 ml (3 à 4 c. à soupe);
- beurre de noix: 30 ml (2 c. à soupe);
- huile: 10 ml (2 c. à thé).

En plus d'être riches en acides gras essentiels, les noix sont une excellente source de protéines et de minéraux, dont le calcium, le magnésium, le phosphore et le potassium. Elles renferment également des oligoéléments comme le fer, le zinc et le cuivre. Attention toutefois aux noix rôties et salées, plus grasses.

Aliment	Poids (g)	Calories	Protéines (g)	Glucides (g)	Fibres (g)	Lipides (g)	Cholestérol (mg)	Calcium (mg)	Fer (mg)	Sodium (mg)	Vitamine A (UI)	Vitamine C (mg)
125 ml d'amandes rôties à l'huile	75	460	14	14	8,4	42	0	146	4	9	0	1
125 ml d'amandes salées, rôties à sec	73	428	12	18	8,2	38	0	206	2,8	569	0	1
125 ml de noisettes hachées, séchées	61	409	8	10	N/D	41	0	119	2,1	2	42	1
125 ml de noix de cajou salées, rôties à sec	72	415	11	24	N/D	34	0	33	4,3	463	0	0
125 ml de noix de coco desséchée, non sucrée	48	317	3	12	2,5	31	0	12	1,6	18	0	1
125 ml de noix de coco desséchée, râpée, sucrée	48	240	1	23	2,5	17	0	7	0,9	126	0	tr
125 ml de noix de Grenoble	53	339	8	10	2,5	33	0	50	1,3	5	66	2

Aliment	Poids (g)	Calories	Protéines (g)	Glucides (g)	Fibres (g)	Lipides (g)	Cholestérol (mg)	Calcium (mg)	Fer (mg)	Sodium (mg)	Vitamine A (UI)	Vitamine C (mg)
125 ml de noix de macadamia salées, rôties à l'huile	71	508	5	9	6,6	54	0	32	1,3	184	6	0
125 ml de noix du Brésil	74	485	11	9	4,2	49	0	130	2,5	1	0	1
125 ml de pacanes séchées	62	414	5	11	4	42	0	22	1,3	1	79	1
125 ml de pignons séchés	84	435	20	12	12,1	43	0	22	7,8	3	24	2
75 ml de pistaches salées, rôties à sec	41	246	6	11	2,3	21	0	28	1,3	317	97	3
125 ml d'arachides salées, rôties à l'huile	76	442	20	14	5,6	38	0	67	1,4	329	0	0
125 ml d'arachides écalées, rôties à sec	78	456	18	17	6,9	39	0	42	1,8	5	0	0
30 ml de beurre d'arachide, crémeux	32	194	8	6	1,8	17	0	12	0,6	153	0	0

Aliment	Poids (g)	Calories	Protéines (g)	Glucides (g)	Fibres (g)	Lipides (g)	Cholestérol (mg)	Calcium (mg)	Fer (mg)	Sodium (mg)	Vitamine A (UI)	Vitamine C (mg)
30 ml de beurre d'arachide, croquant	32	193	8	7	2,2	16	0	13	0,6	159	0	0
30 ml de beurre d'arachide nature	32	185	9	6	2,1	17	0	30	0,9	2	0	0

LES GRAINES

Avec les noix, les graines sont d'excellentes sources d'acides gras essentiels. Elles sont riches en minéraux, en vitamines et en protéines. Elles sont faciles à utiliser, économiques et bénéfiques pour la santé. Les plus populaires et les plus nutritives en matières de bons gras sont les graines de lin, de sésame, de tournesol, de citrouille (ou de courge) et de chanvre.

Aliment	Poids (g)	Calories	Protéines (g)	Glucides (g)	Fibres (g)	Lipides (g)	Cholestérol (mg)	Calcium (mg)	Fer (mg)	Sodium (mg)	Vitamine A (UI)	Vitamine C (mg)
15 ml de beurre de sésame (tahini)	5	31	1	1	0,5	3	0	22	0,5	6	3	0
125 ml de graines de citrouille et de courge, rôties à l'huile, écalées	120	626	40	16	16,6	51	0	52	17,9	22	456	2

Aliment	Poids (g)	Calories	Protéines (g)	Glucides (g)	Fibres (g)	Lipides (g)	Cholestérol (mg)	Calcium (mg)	Fer (mg)	Sodium (mg)	Vitamine A (UI)	Vitamine C (mg)
15 ml de graines de sésame entières, séchées	9	52	2	2	0,9	5	0	89	1,3	1	1	0
15 ml de graines de sésame séchées	8	48	2	1	0,2	4	0	11	0,6	3	5	0
75 ml de graines de tournesol salées, rôties à sec, écalées	41	236	8	10	3,7	20	0	28	1,5	317	0	1
125 ml de graines de lin	73	361	13	27	12,3	25	0	196	8,1	48	0	1

Chapitre 5

LES CORPS GRAS

Les huiles, le beurre, la margarine et le saindoux sont des corps gras à consommer avec modération. Toutefois, les huiles et certaines margarines contiennent des acides gras essentiels et servent à composer un excellent menu santé. Le chapitre qui suit vous l'explique en long et en large.

LES HUILES

Nous utilisons les huiles à toutes les sauces! Or, il est important de savoir que toutes les huiles ne supportent pas nécessairement la chaleur. Plus une huile est riche en acides gras monoinsaturés, mieux elle résiste à la chaleur et à la friture. Plus elle est riche en acides gras polyinsaturés, moins elle supporte une température élevée. Les huiles d'olive, de tournesol et d'arachide s'appliquent à tous les usages, tandis que les huiles de noix, de carthame, de soja et de colza (canola), notamment, ne peuvent être chauffées.

Unique corps gras à être liquide à la température ambiante, l'huile est extraite tantôt de graines d'arachide, de tournesol, de pépins de raisin, de soja, de colza, de carthame, de sésame, de pavot, de coprah, de citrouille (ou de courge) et de coton, tantôt de germes de maïs, tantôt de fruits (olive, noix, noisette, pignon, pistache). On dit qu'elle est de première pression lorsqu'elle provient de la première pression de la pâte. Quant à une huile vierge, elle a subi des manipulations de base (broyage, pressage, centrifugation, nouveau pressage et filtrage), mais elle n'a pas été raffinée, une opération dont peuvent se passer les huiles d'olive et de noix. Comme la chaleur détériore la valeur nutritive de l'huile, le pressage doit donc être fait à froid. Enfin, une huile végétale est composée d'un mélange de différentes huiles.

Par ailleurs, il faut prendre note que l'air et la lumière détériorent la qualité de l'huile en l'oxydant. Une bouteille foncée, plutôt qu'une bouteille claire, est donc à privilégier. Observez également la date de péremption indiquée sur le contenant afin de ne pas acheter un produit qui aurait perdu de sa valeur.

Enfin, sachez que l'huile est un des produits les plus caloriques qui existent: elles contiennent près de 100 % de lipides, et aucune ne peut se vanter d'être plus légère en calories qu'une autre. En fait, chaque huile recèle un trésor de calories: plus de 120 dans 15 ml (1 c. à soupe)! De plus, les huiles modifient la valeur alimentaire de tous les aliments auxquels elles sont associées. Par exemple, un produit plongé dans la friture perd de son eau et emmagasine des lipides, ce qui explique que sa valeur nutritive a changé à la fin de la cuisson.

Pourtant, les huiles sont intéressantes pour aller chercher les besoins quotidiens en bons gras. Pour 15 ml d'huile, voici la quantité d'acides gras saturés, monoinsaturés et polyinsaturés que chacune d'elles renferment:

Huile	Acides gras saturés (g)	Acides gras monoinsaturés (g)	Acides gras polyinsaturés (g)
d'arachide	2,4	6,5	4,5
de colza (canola)	1,0	7,8	4,7
de carthame	1,3	1,7	10,4
de coprah (noix de coco)	12,1	0,8	0,3
de maïs	1,8	3,4	8,2
de noix	1,3	3,2	8,9
d'olive	1,9	10,3	1,2
de palme	6,9	5,2	1,3
de pépins de raisin	1,3	2,3	9,8
de sésame	2,0	5,6	5,8
de soja	2,0	3,3	8,1
de tournesol	1,4	6,3	5,6

LES MARGARINES

Contrairement aux huiles, qui sont issues de produits naturels, les margarines sont des aliments transformés faits à base d'huile qui a été hydrogénée. Il s'agit donc de gras saturés. Comme chaque produit est différent de l'autre par sa composition et l'huile qui a été choisie, il y aurait beaucoup trop de produits à analyser ici. C'est pourquoi aucun tableau n'a été fait à ce sujet.

Retenez cependant que les margarines faites d'huiles non hydrogénées sont meilleures pour la santé que les autres. Celles qui contiennent de l'huile de palme ou de palmiste sont à éviter. Choisissez également un produit contenant peu de gras trans et saturés.

LE BEURRE ET LES AUTRES CORPS GRAS

Le beurre est-il meilleur que la margarine? Comme il s'agit d'un produit naturel qui n'a pas été transformé, on peut penser que oui. Surtout qu'il ne contient pas 100 % de lipides comme la margarine! Toutefois, comme il s'agit d'un produit d'origine animale, il contient aussi des gras saturés néfastes pour la santé. Si vous êtes à risque du point de vue des maladies cardiaques, on vous suggère fortement d'utiliser une margarine de grande qualité, comportant peu de gras saturés ou trans.

Le saindoux, quant à lui, est une graisse animale issue des tissus adipeux du porc. Il contient beaucoup de calories, peu de gras de bonne qualité et beaucoup de cholestérol. Enfin, le shortening d'huile végétale est un produit transformé fait à 100 % d'huiles traitées pour les rendre solides. Il renferme énormément de calories et aucun autre élément nutritif digne de ce nom.

Aliment	Poids (g)	Calories	Protéines (g)	Glucides (g)	Fibres (g)	Lipides (g)	Cholestérol (mg)	Calcium (mg)	Fer (mg)	Sodium (mg)	Vitamine A (UI)	Vitamine C (mg)
15 ml de beurre	14	103	tr	tr	0	12	32	3	tr	119	440	0
250 ml de beurre	240	1719	2	tr	0	195	525	56	0,4	1982	7 335	0
15 ml de saindoux	13	117	0	0	0	13	12	0	0	0	0	0
250 ml de saindoux	217	1954	0	0	0	217	206	0	0	0	0	0
15 ml de shortening d'huile végétale	13	117	0	0	0	13	N/D	0	0	0	N/D	0
250 ml de shortening d'huile végétale	217	1950	0	0	0	217	N/D	0	0	0	N/D	0

Chapitre 6

LES POISSONS

On parle de plus en plus des vertus nutritives associées à la consommation de poissons. D'une part, les poissons à chair blanche sont souvent faibles en gras tout en étant une bonne source de protéines. D'autre part, les poissons gras (saumon, thon, maquereau, hareng, etc.) renferment les précieux oméga-3 indispensables à une bonne santé artérielle et cardiaque.

Or, on n'a pas fini de découvrir des vertus aux oméga-3. En effet, chaque jour, de nouvelles études vantent les mérites de ces acides gras. Ces molécules sont réputées pour leurs vertus protectrices des vaisseaux sanguins, car elles augmentent le taux de bon cholestérol et évitent la formation de caillots. Les acides gras oméga-3 sont utiles tant en prévention qu'après l'apparition d'une maladie cardiaque. Un seul petit gramme d'oméga-3 par jour permettait de réduire de 30 % la mortalité liée aux maladies cardiovasculaires. Cette même quantité prise de façon préventive améliorerait sensiblement l'état de santé général de la population.

Qui plus est, on vient de découvrir que les oméga-3 seraient excellents pour contrôler les humeurs et pour protéger les neurones! Ils permettraient de diminuer l'anxiété ou l'état dépressif, de façon à favoriser l'équilibre émotionnel. Une étude californienne a statué que consommer du thon ou du saumon permettrait de calmer les humeurs, de briser les sentiments de déprime et de diminuer l'agressivité.

Cette qualité antidépressive se répercuterait jusque chez les femmes enceintes, à qui l'on conseille de manger peu de poissons gras vu les risques qu'ils renferment des métaux lourds. Les futures mères devraient donc consommer de petits poissons seulement, comme des sardines et des maquereaux, ou encore des légumes riches en oméga-3 ou des compléments alimentaires. La raison est simple: les oméga-3 seraient très efficaces pour contrer le syndrome de dépression post-partum, ce trouble de l'humeur suivant l'accouchement et se traduisant par une tristesse généralisée et incontrôlable.

LES POISSONS GRAS

Les variétés de poissons présentées dans le tableau de la page suivante contiennent beaucoup de matières grasses. Il est important de ne pas les faire frire dans l'huile afin de ne pas détruire tout ce potentiel santé.

Aliment	Poids (g)	Calories	Protéines (g)	Glucides (g)	Fibres (g)	Lipides (g)	Cholestérol (mg)	Calcium (mg)	Fer (mg)	Sodium (mg)	Vitamine A (UI)	Vitamine C (mg)
10 anchois, en conserve dans l'huile	40	84	12	0	0	4	34	93	1,9	1 467	28	0
1 filet de bar, rôti ou grillé	125	181	30	0	0	6	108	128	2,4	112	143	3
1 éperlan, pané et frit	25	63	5	3	0,8	3	25	10	0,3	N/D	22	0
1/2 filet de flétan, rôti ou grillé	150	210	40	0	0	5	61	90	1,6	104	269	0
1 filet de grand corégone, rôti ou grillé	150	258	37	0	0	11	116	50	0,7	97	197	0
2 filets de hareng de l'Atlantique, fumés et salés	75	161	18	0	0	9	61	62	1,1	679	95	1
1 filet de maquereau de l'Atlantique, rôti ou grillé	100	263	24	0	0	18	75	15	1,6	83	180	tr
4 sardines de l'Atlantique en conserve, dans l'huile, avec arêtes	50	104	12	0	0	5	71	191	1,4	252	113	0

Aliment	Poids (g)	Calories	Protéines (g)	Glucides (g)	Fibres (g)	Lipides (g)	Cholestérol (mg)	Calcium (mg)	Fer (mg)	Sodium (mg)	Vitamine A (UI)	Vitamine C (mg)
2 sardines du Pacifique en conserve, avec sauce tomate et arêtes	75	135	12	0	N/D	9	46	182	1,7	315	277	1
1 filet de saumon coho d'élevage, rôti ou grillé	150	267	37	0	0	13	94	18	0,7	78	296	3
1/2 filet de saumon de l'Atlantique, rôti ou grillé	150	273	38	0	0	13	106	22	1,5	84	66	0
150 ml de saumon rose en conserve, avec arêtes, salé	100	137	16	0	0	8	23	211	1,0	470	65	tr
1/2 filet de saumon rose, rôti ou grillé	125	185	32	0	0	5	83	21	1,2	107	169	0
1/2 filet de saumon Sockeye, rôti ou grillé	150	324	41	0	0	16	131	11	0,9	99	314	0

Aliment	Poids (g)	Calories	Protéines (g)	Glucides (g)	Fibres (g)	Lipides (g)	Cholestérol (mg)	Calcium (mg)	Fer (mg)	Sodium (mg)	Vitamine A (UI)	Vitamine C (mg)
150 ml de thon blanc, en conserve dans l'huile, salé	100	186	26	0	0	8	31	4	0,6	396	81	0
1/2 de filet de thon rouge, rôti ou grillé	100	184	30	0	0	6	49	1	1,3	50	2 520	0
2 filets de truite, rôtis ou grillés	100	190	27	0	0	8	74	55	1,9	68	63	tr
1/2 filet de turbot, rôti ou grillé	150	183	31	0	0	6	93	35	0,7	288	60	3

LES POISSONS FAIBLES EN GRAS

Comme toute chair, les poissons contiennent toujours une part de matières grasses, même s'ils ne sont pas considérés comme gras. Voici donc quelques variétés de poissons qui ne vous donneront pas tous les oméga-3 nécessaires mais qui renferment néanmoins de bons gras, surtout si on les compare à une bonne grosse pièce de viande!

Aliment	Poids (g)	Calories	Protéines (g)	Glucides (g)	Fibres (g)	Lipides (g)	Cholestérol (mg)	Calcium (mg)	Fer (mg)	Sodium (mg)	Vitamine A (UI)	Vitamine C (mg)
1 filet d'aiglefin, rôti ou grillé	150	17	4	0	0	tr	11	6	0,2	13	9	0
1 filet de doré jaune, rôti ou grillé	125	148	30	0	0	2	136	175	2,1	81	100	0
1/2 filet de goberge de l'Atlantique, rôti ou grillé	150	178	38	0	0	2	137	116	0,9	166	60	0
1/2 filet de morue de l'Atlantique, rôti ou grillé	100	104	23	0	0	1	56	14	0,4	78	46	1

Aliment	Poids (g)	Calories	Protéines (g)	Glucides (g)	Fibres (g)	Lipides (g)	Cholestérol (mg)	Calcium (mg)	Fer (mg)	Sodium (mg)	Vitamine A (UI)	Vitamine C (mg)
1 morceau de morue de l'Atlantique, séché et salé	100	291	64	0	0	3	153	161	2,6	7 055	141	3
2 filets de sébaste de l'Atlantique, rôtis ou grillés	100	121	24	0	0	2	54	137	1,2	96	46	1
1 filet de sole, rôti ou grillé	125	147	31	0	0	2	85	23	0,4	131	47	0
150 ml de thon pâle en conserve dans l'eau, salé	100	116	25	0	0	1	30	11	1,5	339	56	0
1 filet de vivaneau, rôti ou grillé	150	192	40	0	0	3	71	60	0,4	86	173	3

LES CRUSTACÉS ET LES FRUITS DE MER

Règle générale, et à moins d'avoir été frits, les fruits de mer et les crustacés contiennent très peu de lipides. Nous les avons donc omis volontairement de ce guide.

Chapitre 7

LES VIANDES

Les viandes contiennent toutes des gras en quantité assez importante. Et comme on les mange cuites, les viandes se transforment, ce qui sature leurs gras. Il est très facile de consommer plus de gras que nécessaire en mangeant beaucoup de viande. C'est pourquoi les informations qui suivent ont pour but de vous faire prendre conscience que les viandes contiennent peut-être une grande valeur nutritive mais qu'il serait bon de les remplacer à l'occasion.

LE BŒUF

Le bœuf contient beaucoup de calories, de gras et de cholestérol. Il serait important de diminuer la quantité que nous mangeons, car les Nord-Américains consomment, en règle générale, beaucoup trop de bœuf pour leurs besoins.

Aliment	Poids (g)	Calories	Protéines (g)	Glucides (g)	Fibres (g)	Lipides (g)	Cholestérol (mg)	Calcium (mg)	Fer (mg)	Sodium (mg)	Vitamine A (UI)	Vitamine C (mg)
Bifteck d'aloyau maigre, grillé	100	219	29	0	0	10	65	2	3,0	60	0	0
Bifteck d'extérieur de ronde maigre, braisé	100	197	31	0	0	7	79	5	3,5	51	0	0
Bifteck d'intérieur de ronde maigre, grillé	100	164	30	0	0	3	65	6	2,8	51	0	0
Bifteck de contre-filet maigre, grillé	100	208	29	0	0	9	62	8	2,3	59	0	0
Bifteck de faux-filet maigre, grillé	100	202	29	0	0	8	65	7	2,2	64	0	0

Aliment	Poids (g)	Calories	Protéines (g)	Glucides (g)	Fibres (g)	Lipides (g)	Cholestérol (mg)	Calcium (mg)	Fer (mg)	Sodium (mg)	Vitamine A (UI)	Vitamine C (mg)
Bifteck de haut de surlonge maigre, grillé	100	186	29	0	0	7	72	17	3,1	57	0	0
Bifteck de noix de ronde maigre, grillé	100	205	31	0	0	8	57	6	3,0	55	0	0
Bifteck de palette braisé	100	340	28	0	0	24	84	33	2,6	52	0	0
Bœuf à ragoût maigre, mijoté	100	198	33	0	0	6	83	9	3,8	66	0	0
Bœuf haché maigre, grillé à point	100	239	25	0	0	14	69	7	2,4	70	0	0
Bœuf haché mi-maigre, grillé à point	100	274	25	0	0	19	71	11	2,1	78	0	0
Bœuf haché ordinaire, grillé à point	100	289	24	0	0	21	74	11	2,5	83	0	0
Rôti de côtes croisées maigre, cuit à couvert	100	251	35	0	0	11	83	17	2,8	68	0	0
Rôti de palette, cuit à couvert	100	283	28	0	0	18	86	15	3,5	274	0	0

LES AUTRES VIANDES

Les supermarchés regorgent de produits à base de viande. Il faut par contre savoir que plus une viande est transformée, par exemple en pâté ou en viande froide, plus elle risque de contenir des gras et des sels ajoutés. Le tableau suivant donne la valeur nutritive de plusieurs aliments à base de viande offerts sur le marché.

Aliment	Poids (g)	Calories	Protéines (g)	Glucides (g)	Fibres (g)	Lipides (g)	Cholestérol (mg)	Calcium (mg)	Fer (mg)	Sodium (mg)	Vitamine A (UI)	Vitamine C (mg)
1 escalope de veau de grain, sautée	100	151	31	0	0	2	138	5	2,0	44	N/D	N/D
1 morceau de dinde, chair blanche rôtie	100	154	30	0	0	2	69	18	1,3	68	0	0
1 morceau de bison rôti	100	143	29	0	0	2	82	8	3,4	57	0	0
175 ml de veau à ragoût maigre, braisé	100	188	34	0	0	4	145	28	1,4	93	0	0
1 morceau de caribou rôti	100	167	30	0	0	4	109	22	6,2	60	0	3
150 ml de rognon de bœuf mijoté	100	145	26	1	0	4	386	18	7,3	134	1 240	1

Aliment	Poids (g)	Calories	Protéines (g)	Glucides (g)	Fibres (g)	Lipides (g)	Cholestérol (mg)	Calcium (mg)	Fer (mg)	Sodium (mg)	Vitamine A (UI)	Vitamine C (mg)
30 ml de creton	25	59	3	1	0,1	4	15	20	0,2	100	23	tr
2 tranches de pastrami au bœuf	50	68	9	1	0	4	46	5	1,0	680	0	0
1 portion de rôti d'épaule de veau maigre, rôti	100	150	26	0	0	7	115	27	1,0	98	0	0
2 tranches de cuisse d'agneau de N.-Zélande	100	182	27	0	0	7	100	7	2,3	45	0	0
1 morceau de dinde, chair brune rôtie	100	185	29	0	0	7	88	35	2,4	82	0	0
1 morceau de poulet à rôtir, chair blanche et brune	100	167	25	0	0	7	75	12	1,2	75	41	0
1 boulette de veau haché, grillée	100	172	24	0	0	8	103	17	0,9	83	N/D	N/D
1 morceau de lapin en ragoût	100	206	30	0	0	8	86	20	2,7	37	0	0
1 tranche de foie d. bœuf, sautée	100	216	27	8	0	8	482	11	6,2	106	36 105	24

Aliment	Poids (g)	Calories	Protéines (g)	Glucides (g)	Fibres (g)	Lipides (g)	Cholestérol (mg)	Calcium (mg)	Fer (mg)	Sodium (mg)	Vitamine A (UI)	Vitamine C (mg)
100 g de jambon en flocons	100	134	16	tr	0	8	46	5	1,0	1 055	0	0
175 ml d'agneau à ragoût, braisé	100	223	33	0	0	9	108	15	2,8	70	0	0
4 tranches de bacon de dos, grillées	100	183	23	2	0	9	57	11	0,9	1 530	0	0
1/4de canard domestiqué, rôti	100	200	23	0	0	11	88	12	2,7	65	77	0
2 tranches de foie de veau, sautées	100	245	30	4	0	11	330	11	5,3	131	18 800	21
2 tranches de simili poulet	50	131	6	2	N/D	11	29	17	N/D	480	N/D	0
1/4 de poulet à bouillir, chair blanche et brune	100	236	31	0	0	12	82	13	1,4	78	112	0
50 g de pâté de foie en conserve	50	159	7	1	N/D	14	127	35	2,7	348	1 650	0
5 tranches de bacon, cuites	30	170	10	tr	0	15	25	4	0,5	473	0	0

Aliment	Poids (g)	Calories	Protéines (g)	Glucides (g)	Fibres (g)	Lipides (g)	Cholestérol (mg)	Calcium (mg)	Fer (mg)	Sodium (mg)	Vitamine A (UI)	Vitamine C (mg)
1/2 poulet de Cornouailles rôti	100	259	22	0	0	18	130	13	0,9	63	105	1
1 boulette de porc haché, cuite	100	297	26	0	0	21	94	22	1,3	73	8	1
4 tranches de saucisson de Bologne, bœuf et porc	100	271	12	5	0	21	55	12	1,4	983	0	0
Épaule de porc entière, rôtie	100	293	24	0	0	22	90	24	1,4	68	8	tr
5 tranches de pepperoni au porc et bœuf	50	248	11	2	0	22	39	5	0,7	1 020	0	0
1 ou 2 saucisses italiennes au porc, cuites	100	324	21	1	0	25	78	24	1,5	922	0	1
2 côtelettes d'agneau, grillées	100	361	22	0	0	29	99	18	1,8	76	0	0
Côtes levées de dos de porc, rôties	100	370	24	0	0	30	119	46	1	101	9	tr

LES SUBSTITUTS DE VIANDE

Les légumineuses sont de merveilleuses solutions de rechange à la viande. Pour ce qui est des bons gras cependant, on repassera: sauf pour le soja et le tofu (fait de soja), elles ne contiennent presque pas de lipides! Mais justement, le fait qu'il y a beaucoup de protéines et peu de gras (pas du tout de cholestérol) dans les légumineuses en fait un aliment à insérer plus souvent dans notre menu.

Aliment	Poids (g)	Calories	Protéines (g)	Glucides (g)	Fibres (g)	Lipides (g)	Cholestérol (mg)	Calcium (mg)	Fer (mg)	Sodium (mg)	Vitamine A (UI)	Vitamine C (mg)
250 ml de haricots de Lima bouillis	180	220	12	42	9,6	tr	0	58	4,4	30	664	18
250 ml de doliques à œil noir en conserve	254	195	12	35	N/D	1	0	51	2,5	758	33	7
250 ml de fèves au lard en conserve, nature	268	250	13	55	20,7	1	0	134	0,8	1065	459	8
250 ml de haricots blancs en conserve	277	324	20	61	N/D	1	0	202	8,3	14	0	0

Aliment	Poids (g)	Calories	Protéines (g)	Glucides (g)	Fibres (g)	Lipides (g)	Cholestérol (mg)	Calcium (mg)	Fer (mg)	Sodium (mg)	Vitamine A (UI)	Vitamine C (mg)
250 ml de haricots noirs bouillis	182	240	16	43	12,7	1	0	49	3,8	2	11	0
250 ml de haricots pinto en conserve	254	198	12	37	N/D	1	0	94	4,1	1 055	3	2
250 ml de haricots rouge foncé bouillis	187	238	16	43	12,3	1	0	52	5,5	4	0	2
250 ml de lentilles bouillies	209	243	19	42	8,9	1	0	40	7	4	17	3
250 ml de pois cassés bouillis	207	244	17	44	6	1	0	29	2,7	4	14	1
250 ml de pois chiches en conserve	254	302	13	57	N/D	3	0	81	3,4	758	61	10
250 ml de soja sec, bouilli	182	314	30	18	11,4	16	0	185	9,3	2	16	3
Tofu ferme	100	145	16	4	1,0	9	0	205	10,5	14	166	tr
Tofu ordinaire	100	76	8	2	0,7	4	0	105	5,4	7	85	tr

LES ŒUFS

Les œufs contiennent de bons gras malgré leur haute teneur en cholestérol. Comme le démontre le tableau suivant, les œufs pochés sont moins calorifiques et meilleurs pour la santé que les œufs frits, surtout si on y ajoute quelques tranches de bacon, du pain, des cretons, des fèves au lard, etc.

Aliment	Poids (g)	Calories	Protéines (g)	Glucides (g)	Fibres (g)	Lipides (g)	Cholestérol (mg)	Calcium (mg)	Fer (mg)	Sodium (mg)	Vitamine A (UI)	Vitamine C (mg)
1 œuf brouillé	116	225	16	3	0	16	502	95	1,7	503	983	tr
1 œuf cuit dur	50	78	6	1	0	5	216	25	0,6	62	280	0
1 œuf frit	46	92	6	1	0	7	214	25	0,7	162	394	0
1 œuf poché	50	74	6	1	0	5	214	24	0,7	140	316	0

Chapitre 8

LE LAIT ET SES DÉRIVÉS

Très fréquente en Occident, mais beaucoup moins en Asie et en Afrique, la consommation de lait procure des vitamines et des minéraux en bonne quantité mais représente aussi une source de gras importante. En fait, un verre de boisson gazeuse sucrée et un verre de lait ont à peu près la même quantité de calories. Il faut donc user de prudence.

LE LAIT DE VACHE

Comment parler de bons gras sans toucher quelques mots au sujet du lait et des produits laitiers? Le lait (qu'il provienne de la vache comme dans le tableau suivant ou d'un autre animal) contient en effet de bons gras: 29 % de ses acides gras sont monoinsaturés et moins de 4 % sont polyinsaturés. Une déduction rapide nous permet cependant de constater qu'il reste beaucoup de gras saturés dans le lait: plus de 60 % pour être plus précis! Il faut donc consommer les produits laitiers avec une certaine réserve.

Aliment	Poids (g)	Calories	Protéines (g)	Glucides (g)	Fibres (g)	Lipides (g)	Cholestérol (mg)	Calcium (mg)	Fer (mg)	Sodium (mg)	Vitamine A (UI)	Vitamine C (mg)
250 ml de lait écrémé	259	90	9	13	0	tr	5	319	0,1	133	528	3
250 ml, lait 3,3 % M.G.	258	158	8	12	0	9	35	308	0,1	126	325	2
250 ml de lait 1 % M.G.	258	108	8	12	0	3	10	317	0,1	129	529	3
250 ml de lait 2 % M.G.	258	128	9	12	0	5	19	314	0,1	129	529	2
15 ml de crème 10 %M.G.	15	18	tr	1	0	2	5	16	tr	6	58	tr
250 ml crème à fouetter, 35 %M.G., non fouettée	178	582	4	5	0	62	228	118	0,1	64	2 410	1

LE FROMAGE

Que serait le monde sans fromage? Issus du savoir-faire traditionnel et aujourd'hui redécouverts par une majorité de personnes, les fromages sont une bonne source d'éléments nutritifs, mais ils contiennent beaucoup de matières grasses. Il faut donc s'imposer une limite quand on aime manger ces grands délices.

Aliment	Poids (g)	Calories	Protéines (g)	Glucides (g)	Fibres (g)	Lipides (g)	Cholestérol (mg)	Calcium (mg)	Fer (mg)	Sodium (mg)	Vitamine A (UI)	Vitamine C (mg)
Bleu	100	351	21	2	0	28	75	526	0,4	1390	720	0
Brick	100	373	23	2	0	31	94	680	0,4	563	1 090	0
Brie	100	333	21	tr	0	27	100	185	0,6	629	667	0
Camembert	100	294	19	tr	0	25	69	381	0,6	825	900	0
Cheddar	100	406	25	2	0	33	106	727	0,8	625	1 067	0
Cottage (2 % M.G.)	100	90	13	3	0	2	8	69	0,2	408	71	0
Edam	100	356	25	2	0	27	88	730	0,4	965	915	0
Feta	100	273	15	4	0	22	92	510	0,6	1157	463	0
Fromage à la crème	100	349	8	2	0	34	110	80	1,2	296	1 430	0
Fromage de chèvre, pâte molle (21 %)	100	267	19	tr	0	21	46	140	1,9	367	1 355	0

Aliment	Poids (g)	Calories	Protéines (g)	Glucides (g)	Fibres (g)	Lipides (g)	Cholestérol (mg)	Calcium (mg)	Fer (mg)	Sodium (mg)	Vitamine A (UI)	Vitamine C (mg)
Gouda	100	363	25	2	0	29	115	713	0,2	837	658	0
Gruyère	100	409	30	tr	0	33	109	1 000	0,2	333	1 209	0
Mozzarella 16,5 % M.G.	100	262	25	3	0	0	60	673	0,2	478	600	0
Mozzarella 22,5 % M.G.	100	292	20	2	0	22	82	535	0,2	387	820	0
Parmesan râpé	100	455	42	4	0	30	79	1 370	0,9	1855	700	0
Ricotta de lait entier	100	173	12	4	0	13	50	208	0,4	85	490	0
Romano râpé	100	385	32	4	0	26	104	1 060	0,8	1 200	570	0
Suisse	100	372	28	4	0	28	91	952	0,2	259	837	0

LES AUTRES PRODUITS À BASE DE LAIT

Il existe plein d'autres produits à base de lait. Certains en ont conservé les bienfaits, d'autres non. Soyez vigilants lorsque vient le temps d'acheter de tels produits et lisez bien la liste des ingrédients.

Notez par ailleurs que nous avons inclus dans ce tableau les boissons à base de soja. Elles ne contiennent pas de lait comme tel, mais leur ressemblance avec ce produit fait en sorte qu'on peut facilement les comparer. Notez de surcroît que la crème glacée est décrite dans le tableau *Les délices glacés*, au chapitre suivant.

Aliment	Poids (g)	Calories	Protéines (g)	Glucides (g)	Fibres (g)	Lipides (g)	Cholestérol (mg)	Calcium (mg)	Fer (mg)	Sodium (mg)	Vitamine A (UI)	Vitamine C (mg)
250 ml de babeurre	259	105	9	12	0	2	9	301	0,1	272	85	3
250 ml de lait au chocolat, 2 % M.G.	264	189	8	27	1,6	5	18	300	0,6	159	528	2
Cheddar fondu à tartiner	100	292	17	9	N/D	21	55	566	0,4	1635	794	0

Aliment	Poids (g)	Calories	Protéines (g)	Glucides (g)	Fibres (g)	Lipides (g)	Cholestérol (mg)	Calcium (mg)	Fer (mg)	Sodium (mg)	Vitamine A (UI)	Vitamine C (mg)
2 tranches minces de cheddar fondu	21	69	4	2	N/D	5	14	120	0,2	332	190	0
2 tranches de fromage suisse	42	134	9	2	N/D	10	34	301	0,2	646	356	0
250 ml de lait concentré sucré	323	1 038	26	176	0	28	110	917	0,6	411	1 061	8
250 ml de lait concentré, non dilué, 2 % M.G.	268	246	20	30	0	5	21	739	0,6	297	705	44
125 ml de poudre de lait écrémé	36	132	13	19	0	tr	7	452	0,1	202	871	2
125 ml de poudre de lait entier	68	335	18	26	0	18	66	617	0,3	251	624	6
200 ml de boisson au yogourt	207	144	5	28	0	2	11	220	0,2	83	14	2
250 ml de boisson de soja	254	84	7	5	1,2	5	0	10	1,5	30	81	0
250 ml de chocolat chaud, maison, cacao et lait 2 %	264	203	10	31	2,6	6	21	333	1,2	135	544	3

Aliment	Poids (g)	Calories	Protéines (g)	Glucides (g)	Fibres (g)	Lipides (g)	Cholestérol (mg)	Calcium (mg)	Fer (mg)	Sodium (mg)	Vitamine A (UI)	Vitamine C (mg)
250 ml de lait frappé à la vanille	211	236	8	38	0	6	25	309	0,2	202	241	0
175 g de yogourt aromatisé à la vanille ou au café 1,9 %	161	672	27	0	3	9	230	0,1	0,8	254	1	0,05
175 g de yogourt, fruits au fond, 1 à 2 % M.G.	177	740	31	0	3	11	214	0,1	1	314	1	0,08
175 g de yogourt, fruits au fond, – de 1 % M.G.	108	453	19	0	tr	5	281	0,1	1,4	345	2	0,07
175 g de yogourt, nature, 1 à 2 % M.G.	110	461	12	0	3	11	320	0,1	1,6	410	1	0,09
175 g de yogourt, nature, + de 4 % M.G.	182	763	13	0	10	32	264	0,1	1	365	1	0,1
15 ml de crème sure, 14 %M.G.	15	22	tr	1	0	2	6	16	tr	6	77	tr
15 ml de crème fouettée, en aérosol	4	10	tr	tr	0	1	3	4	tr	5	35	0

Chapitre 9

LE FAST-FOOD

Tout restaurant a l'obligation de vous fournir des renseignements sur la valeur nutritive de ses mets. Ne soyons jamais dupes: ce qu'on nous présente comme un aliment santé n'en est presque jamais un! Quand on nous dit qu'il n'y a pas de gras, on cache souvent la teneur en sel ou en sucres. Quand l'aliment est effectivement peu calorifique, c'est son indice glycémique qui est élevé en raison de l'absence de fibres alimentaires. Essayons d'y voir clair...

CES CHERS HAMBURGERS

Mettez une ou deux boulettes de viande entre deux petits pains sans fibres et ajoutez quelques condiments sucrés ainsi qu'une tranche de fromage. Vous obtenez l'un des mets favoris des Nord-Américains: le hamburger! En fait, si l'obésité fait des ravages, c'est en partie à cause de ce gros régal. Ceux qui ont vu le film *Supersize Me*, où un homme change volontairement son régime alimentaire pour ne manger que des mets d'un restaurant populaire, ont certainement compris que ces plats ne sont pas adaptés à notre mode de vie.

Voici quelques informations nutritionnelles capitales à savoir au sujet du hamburger.

Aliment	Poids (g)	Calories	Protéines (g)	Glucides (g)	Fibres (g)	Lipides (g)	Cholestérol (mg)	Calcium (mg)	Fer (mg)	Sodium (mg)	Vitamine A (UI)	Vitamine C (mg)
1 hamb. au fromage, 2 boulettes	166	417	21	35	N/D	21	60	171	3,4	1 051	398	2
1 hamb. au fromage, 1 boulette	102	319	15	32	N/D	15	50	141	2,4	500	153	0
1 hamb., 2 boulettes	226	540	34	40	N/D	27	122	102	5,9	791	102	1
1 hamb., 1 boulette	90	274	12	31	N/D	12	35	63	2,4	387	0	0

AUTRES DÉLICES RAPIDO PRESTO

Les hamburgers ne sont pas les seuls repas chéris au pays du fast-food. Sous-marins, hot dogs, rondelles d'oignon, poulet barbecue... voilà autant de mets qu'on mange très souvent. Trop souvent en fait, compte tenu de nos habitudes de vie, qui ne nous permettent pas de brûler autant d'énergie que nous en ingérons.

Dans le cas de la fameuse poutine, il est difficile de se prononcer, car il existe de nombreuses variétés de ce délice des palais québécois! Sachons seulement qu'un unique format régulier de poutine peut nous procurer 1 000 calories de plus qu'il nous en faut dans une journée! En plus, les gras trans et saturés qu'elle renferme représentent parfois le double de ce qu'on devrait consommer quotidiennement.

Aliment	Poids (g)	Calories	Protéines (g)	Glucides (g)	Fibres (g)	Lipides (g)	Cholestérol (mg)	Calcium (mg)	Fer (mg)	Sodium (mg)	Vitamine A (UI)	Vitamine C (mg)
1 burrito au bœuf	110	262	13	29	N/D	10	32	42	3	746	139	1
1 hot dog nature	98	242	10	18	N/D	15	44	24	2,3	670	0	tr
1 sandwich à déjeuner, œuf et saucisse	180	581	19	41	N/D	39	302	155	4	1 141	635	0
1 sandwich au jambon, œuf et fromage	143	347	19	31	N/D	16	246	212	3,1	1 005	562	3
1 sandwich au poisson pané, sauce tartare	158	431	17	41	N/D	23	55	84	2,6	615	109	3
1 sandwich au poulet, nature	182	515	24	39	N/D	29	60	60	4,7	957	100	9
1 sandwich au rôti de bœuf, nature	139	346	22	33	N/D	14	51	54	4,2	792	210	2
1 saucisse panée sur bâtonnet	175	460	17	56	N/D	19	79	102	6,2	973	206	0
1 sous-marin, salade de thon	256	584	30	55	N/D	28	49	74	2,6	1 293	187	4
1 sous-marin, viandes froides	228	456	22	51	N/D	19	36	189	2,5	1 651	424	12
1 taco préparé	171	369	21	27	N/D	21	56	221	2,4	802	855	2
1/8 de pizza au fromage format moyen	63	140	8	21	1,3	3	9	117	0,6	336	382	1

Aliment	Poids (g)	Calories	Protéines (g)	Glucides (g)	Fibres (g)	Lipides (g)	Cholestérol (mg)	Calcium (mg)	Fer (mg)	Sodium (mg)	Vitamine A (UI)	Vitamine C (mg)
1/8 de pizza au pepperoni format moyen	71	181	10	20	1,4	7	14	65	0,9	267	282	2
1/8 de pizza fromage, viandes et légumes de format moyen	79	184	13	21	N/D	5	21	101	1,5	382	524	2
10 frites congelées, au four	50	100	2	16	1,6	4	0	4	0,6	15	0	5
10 frites, congelées, cuites dans l'huile au restaurant	50	131	2	20	N/D	5	0	5	0,7	108	0	5
125 ml de chili con carne	134	135	13	12	N/D	4	71	36	2,7	532	878	1
125 ml de salade de chou, avec vinaigrette	63	44	1	8	N/D	2	5	29	0,4	15	406	21
4 bâtonnets de courgettes panés, frits	44	63	1	4	0,8	5	8	13	0,3	25	124	3
5 rondelles d'oignon panées, congelées	50	204	3	19	1,1	13	0	16	0,8	188	112	1
6 à 8 nachos au fromage	113	346	9	36	N/D	19	18	272	1,3	816	559	1
6 morceaux de poulet pané et frit	102	290	17	15	N/D	18	61	16	1,3	543	102	tr

LES DESSERTS

Il est très rare que nos desserts soient pauvres en gras et en sucres. Lorsqu'on en mange, c'est qu'on souhaite se faire plaisir! De toutes façons, si vous avez des doutes quant à la teneur calorifique de vos desserts, consultez la liste suivante. Il y a là de quoi sursauter en quelques occasions...

Aliment	Poids (g)	Calories	Protéines (g)	Glucides (g)	Fibres (g)	Lipides (g)	Cholestérol (mg)	Calcium (mg)	Fer (mg)	Sodium (mg)	Vitamine A (UI)	Vitamine C (mg)
1 beigne à la levure fourré de gelée	85	289	5	33	N/D	16	2	21	1,5	249	26	1
1 beigne nature	47	198	2	23	0,8	11	17	21	0,9	257	27	tr
1 beigne nature glacé au chocolat	57	270	3	27	1,1	18	33	20	1,4	245	60	tr
1 crêpe avec beurre, sirop	77	173	3	30	N/D	5	19	43	0,9	368	94	1
1 crêpe nature congelée	36	82	2	16	N/D	1	3	22	1,2	183	36	tr
1 gaufre nat. congelée	39	98	2	15	0,9	3	9	86	1,7	292	500	0
1 muffin au son, commercial	50	138	3	23	N/D	5	34	16	1,3	234	51	0

Aliment	Poids (g)	Calories	Protéines (g)	Glucides (g)	Fibres (g)	Lipides (g)	Cholestérol (mg)	Calcium (mg)	Fer (mg)	Sodium (mg)	Vitamine A (UI)	Vitamine C (mg)
Biscuit à l'avoine maison	15	67	1	10	N/D	3	5	16	0,4	90	107	tr
Biscuit à la mélasse	15	64	1	11	N/D	2	0	11	1	69	tr	0
Biscuit aux brisures de chocolat com.	10	48	1	7	0,2	2	0	2	0,3	32	tr	0
Biscuit Graham	7	30	tr	5	0,2	1	0	2	0,3	42	0	0
Gaufrette à la vanille	4	18	tr	3	N/D	1	2	2	0,1	12	2	0
1 carré au chocolat	56	227	3	36	N/D	9	10	16	1,3	175	39	N/D
125 ml de crème à la vanille instan.	150	156	4	30	N/D	3	9	155	0,1	429	255	N/D
125 ml de crème au chocolat commerciale	150	146	5	30	N/D	3	11	170	0,5	158	267	N/D
125 ml de crème caramel	141	143	4	27	N/D	3	10	162	0,1	70	263	N/D
125 ml de crème pâtissière	141	157	6	25	N/D	4	79	208	0,4	211	312	N/D
1 morceau de gâteau au chocolat	65	198	4	32	N/D	8	35	70	2,1	370	54	0

Aliment	Poids (g)	Calories	Protéines (g)	Glucides (g)	Fibres (g)	Lipides (g)	Cholestérol (mg)	Calcium (mg)	Fer (mg)	Sodium (mg)	Vitamine A (UI)	Vitamine C (mg)
1 morceau de gâteau au fromage	80	257	4	20	1,7	18	44	41	0,5	166	442	tr
1 morceau de gâteau aux fruits	43	139	1	26	1,5	4	2	14	0,9	116	34	tr
1 morceau de gâteau blanc sans glaçage	62	190	3	34	N/D	5	0	86	0,6	301	1	tr
1 morc. de gâteau des anges	28	73	2	16	0,4	tr	0	40	0,1	212	0	0
1 morc. de gâteau éponge	38	110	2	23	N/D	1	39	27	1	93	59	0
1 morceau de gâteau quatre-quarts avec beurre	28	110	2	14	N/D	6	63	10	0,4	113	172	tr
1 pointe de tarte à la citrouille	109	229	4	30	2,9	10	22	65	1,5	307	4921	2
1 chausson aux fruits	128	404	4	55	3,3	21	0	28	1,6	479	35	2
1 croûte à tarte ordinaire	126	648	6	62	N/D	41	0	26	2,8	815	0	0
250 ml de garniture pour tarte à la citrouille	285	297	3	75	N/D	tr	0	106	3	593	23 674	10
250 ml de garniture pour tarte aux pommes	279	282	tr	73	2,8	tr	0	11	0,8	123	36	N/D

Aliment	Poids (g)	Calories	Protéines (g)	Glucides (g)	Fibres (g)	Lipides (g)	Cholestérol (mg)	Calcium (mg)	Fer (mg)	Sodium (mg)	Vitamine A (UI)	Vitamine C (mg)
1 pointe de tarte à la crème au chocolat	113	344	3	38	2,3	22	6	41	1,2	154	2	tr
1 pointe de tarte au citron avec meringue	113	303	2	53	1,4	10	51	63	0,7	165	198	4
1 pointe de tarte aux pacanes	113	452	5	65	4	21	36	19	1,2	479	198	1
1 chou à la crème (chou seulement)	66	239	6	15	N/D	17	129	24	1,3	368	764	0
1 éclair au chocolat avec crème pâtissière	100	262	6	24	N/D	16	127	63	1,2	337	718	tr
1 grand-père dans le sirop	30	40	1	6	0,2	1	1	20	0,3	87	4	tr
1 feuille de pâte phyllo	19	57	1	10	N/D	1	0	2	0,6	92	0	0
1 tartelette à griller	52	204	2	37	N/D	5	0	14	1,8	218	501	tr

LES DÉLICES GLACÉS

Difficile de parler de dessert sans parler de la crème glacée et autres desserts sortis du congélateur. L'exemple que voici ne tient compte que de desserts glacés à la vanille. Bien entendu, plus on ajoute des noix, du chocolat, de la guimauve et des fruits sucrés, plus on modifie la valeur nutritive de ces aliments, à consommer avec modération puisqu'ils contiennent beaucoup de gras saturés.

Aliment	Poids (g)	Calories	Protéines (g)	Glucides (g)	Fibres (g)	Lipides (g)	Cholestérol (mg)	Calcium (mg)	Fer (mg)	Sodium (mg)	Vitamine A (UI)	Vitamine C (mg)
125 ml de crème glacée à la vanille	70	140	2	16	N/D	8	31	89	0,1	56	285	N/D
125 ml de lait glacé à la vanille	93	117	5	20	N/D	2	11	146	0,1	65	96	N/D
125 ml de sorbet à l'orange	101	140	1	31	N/D	2	5	55	0,1	47	77	N/D
125 ml de yogourt glacé à la vanille	76	121	3	18	N/D	4	2	109	0,2	66	161	N/D

Chapitre 10

LES GÂTERIES

Dans ce chapitre, vous saurez tout sur les diverses croustilles et autres gâteries qui peuplent les allées de nos supermarchés. Vous verrez qu'il y en a pour tous les goûts, mais que le bon goût reste sur sa faim...

LE CHOCOLAT

Les tablettes de chocolat sont des plus populaires: elles sont abordables, délicieusement sucrées et accessibles. Toutefois, il faut retenir qu'elles contiennent de 20 à 30 % de lipides, surtout des gras saturés et trans, et parfois plus encore! Qui plus est, leur contenu en sucre et leur faible apport de fibres alimentaires en font un aliment vide de valeurs nutritives.

LES CROUSTILLES

Les croustilles sont toutes très grasses et salées. En fait, il n'y a aucune sorte de croustilles qui peut se vanter d'être bonne pour la santé. Retenez qu'une portion inscrite sur un paquet de chips se limite à une dizaine de croustilles, soit bien loin de la consommation réelle: souvent, quand on ouvre le sac, on le finit!

Aliment	Poids (g)	Calories	Protéines (g)	Glucides (g)	Fibres (g)	Lipides (g)	Cholestérol (mg)	Calcium (mg)	Fer (mg)	Sodium (mg)	Vitamine A (UI)	Vitamine C (mg)
Croustilles barbecue	75	369	6	40	3	23	0	35	1,7	565	162	23
Croustilles nature	75	405	4	38	3	26	0	15	1,1	402	0	45
Tortillas à saveur de nacho	75	375	4	46	4	21	4	108	1,2	529	279	tr

LE MAÏS SOUFFLÉ

Le pop-corn de cinéma est très riche, car il contient du sel et des gras saturés en quantité phénoménale. À l'opposé, du maïs soufflé fait à la maison avec des grains de maïs uniquement contient très peu de calories et pas du tout de gras. Entre ces deux extrêmes, on peut bien mettre un peu de beurre sur cette gentille collation!

LES CROISSANTS

Délicieux au déjeuner, les croissants restent des aliments très riches, à consommer avec modération.

Aliment	Poids (g)	Calories	Protéines (g)	Glucides (g)	Fibres (g)	Lipides (g)	Cholestérol (mg)	Calcium (mg)	Fer (mg)	Sodium (mg)	Vitamine A (UI)	Vitamine C (mg)
1 croissant au beurre	57	231	5	26	1,6	12	43	21	1,2	424	307	tr

LES BARRES GRANOLA

Il existe une impressionnante variété de barres granola, toutes ayant des propriétés calorifiques, glucidiques et lipidiques différentes. Le tableau que voici présente un seul cas en guise d'exemple.

Aliment	Poids (g)	Calories	Protéines (g)	Glucides (g)	Fibres (g)	Lipides (g)	Cholestérol (mg)	Calcium (mg)	Fer (mg)	Sodium (mg)	Vitamine A (UI)	Vitamine C (mg)
1 barre granola nature, dure	25	118	3	16	1,3	5	0	15	0,7	74	38	

CONCLUSION

Prenez vos propres notes dans le tableau suivant, qui comporte les catégories relatives au nouveau règlement sur l'étiquetage des aliments. Ainsi, vous aiderez votre mémoire chaque fois que vous aurez le goût d'un aliment pas vraiment sain mais qui vous tente tellement! Dans les colonnes indiquant les lipides, le sodium, les glucides et les fibres, écrivez les deux chiffres inscrits sur le tableau de la valeur nutritive: le premier donne la quantité de l'élément nutritif présent dans l'aliment ou le mets en question, le second indique le pourcentage de l'apport quotidien recommandé. Pour les autres colonnes, vous aurez un seul chiffre, car c'est ce que vous donne le tableau de l'information nutritionnelle.

Aliment ou mets	Portion (g ou ml)	Calories	Lipides (g)	Gras saturés (g)	Gras trans (g)	Cholestérol (mg)	Sodium (mg)	Glucides (g)	Fibres (g)	Vitamine A (UI)	Vitamine C (mg)	Calcium

Aliment ou mets	Portion (g ou ml)	Calories	Lipides (g)	Gras saturés (g)	Gras trans (g)	Cholestérol (mg)	Sodium (mg)	Glucides (g)	Fibres (g)	Vitamine A (UI)	Vitamine C (mg)	Calcium

Aliment ou mets	Portion (g ou ml)	Calories	Lipides (g)	Gras saturés (g)	Gras trans (g)	Cholestérol (mg)	Sodium (mg)	Glucides (g)	Fibres (g)	Vitamine A (UI)	Vitamine C (mg)	Calcium

Le petit guide des bons gras (#488)

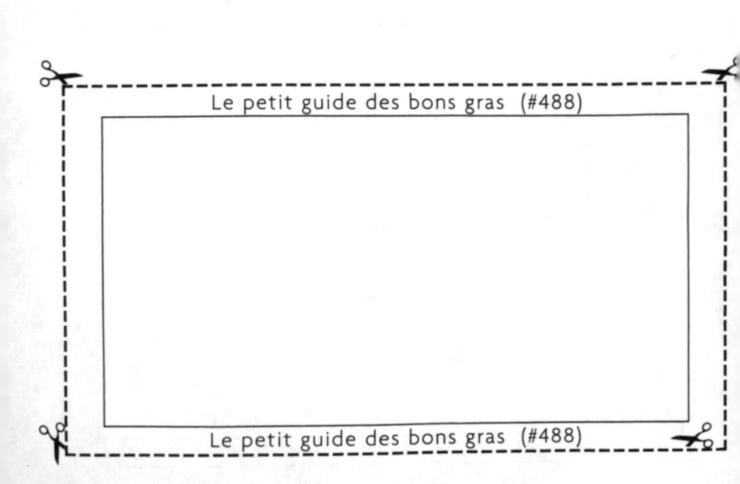
Le petit guide des bons gras (#488)
Le petit guide des bons gras (#488)